Hexentanz.

(Witches' Dance.)

E. A. Mc DOWELL, Op. 17, No. 2.

Presto. (♩. = 126.)

staccato.
simile.
mf
sempre cresc.
f
ff
pp leggierissimo.
ten.
staccato.
ten.
poco a poco
cresc.
ten.
ten.
cresc.

8
fz
p dim.
pp
cresc.
sempre - - - cresc.
leggieriss.
dim.
pp
R. H.
L. H.

ppp con 2 Ped.
il basso non legato e molto leggiero.
poco a poco cresc.
p
quasi trillo.
cresc.
senza 2 Ped.
martellato.
fz
poco rall.
a tempo.
ff e marcatiss.

cresc.
staccatiss.
ff
leggiero.
ff
fz
martellato.
pp dolce.
leggiero e non legato.
sempre p
poco a poco
rall.
dolciss. molto
rall.

a tempo.
legg.
p
fz p
3
fz
8
fz
f
pp leggiero.
cresc.
staccato.
p
pp leggiero.
2

pp leggiero.
staccato.
ten.
ten.
ten.
ten.
p
poco cresc.
sempre
cresc.

f
poco rall.
dolciss.
poco a poco dim.

8
R.H.
pp
L.H.
a piacere (Andante.)
ppp
quasi recitativo.
rit. al
Prestissimo. (♩. = 152.)
8
lento.
pp leggieriss.
quasi trillo.
simile.
8
ppp